鼓笛バンド

ドレミ音名付

Jポップ・スカイ

JN121717

株式会社エー・ティー・エヌ

は じ め に

ドレミがついている！　音符がすぐ読める！　演奏がすぐできる！

子どもたちに合奏の楽しさを十分に味わってほしい、子どもたちに楽しい合奏をたくさん経験してもらいたいとの思いから、メロディーのすべてにド・レ・ミ〜を書き込みました。

子どもたちがよく知っているメロディー、子どもたちが好きな曲を選んで、クラスでも部活でも演奏できる小編成の鼓笛合奏を、オリジナル曲のイメージをできるだけ再現し、アレンジしてあります。難しい調の曲については、原曲のイメージを損なわない程度に移調してあります。

ド・レ・ミ〜が書き込んであるので、子どもたちは譜読みに悩むことなく、少しの練習だけでステキな合奏ができるようになります。楽しいリズムにのせて、時には歌と一緒に演奏を、また躍動感あふれるパレードで楽しみましょう。

この曲集は、教える音楽から、楽しんで育む音楽へと、自主的にアンサンブルに取り組むための魅力的な曲集といえるでしょう。みんな一緒にアンサンブルの世界を満喫しましょう。

よりよい合奏をするために

■合奏する前に、歌詞やドレミでよく歌っておきましょう。
■編成は、各学校の実状(人数・楽器の増減・楽器の変更など)に合わせて、工夫しましょう。
■「バランス」に注意しましょう。
　合奏では、メロディー・パートと伴奏パートの音量のバランス、特に大太鼓・小太鼓の音量に注意しましょう。各楽器のバランスに注意することは、よりよい演奏をするための大きなポイントです。

鼓笛バンド　ドレミ音名付
Jポップ・スカイ

選曲に便利な「曲目索引」をホーム・ページ http://www.atn-inc.jp に掲載してありますので、ご活用ください。

Butterfly 【歌：木村 カエラ】

末光　篤：作曲　中村　晴子：編曲

演奏順：A→B→C→D→E→F→G→E→F→H→I→J→D.S.→𝄋H→to ⊕→⊕Coda→K

D.S.

世界に一つだけの花　【歌：SMAP】

槙原 敬之：作曲　中村 晴子：編曲

演奏順：A→B→C→D→E→F→B→C→D→E→F→D.S.→F→to ⊕→⊕ Coda→G→H

涙そうそう（ナダ）　【歌：夏川 りみ】

BEGIN：作曲　中村 晴子：編曲

演奏順：A→B→C→B→C→D→D.S.→C→to ⊕→⊕ Coda

感謝カンゲキ雨嵐　【歌：嵐】

馬飼野 康二：作曲　中村 晴子：編曲

演奏順：A → B → C → D → E → C → D → E → D.S. → E → to Coda

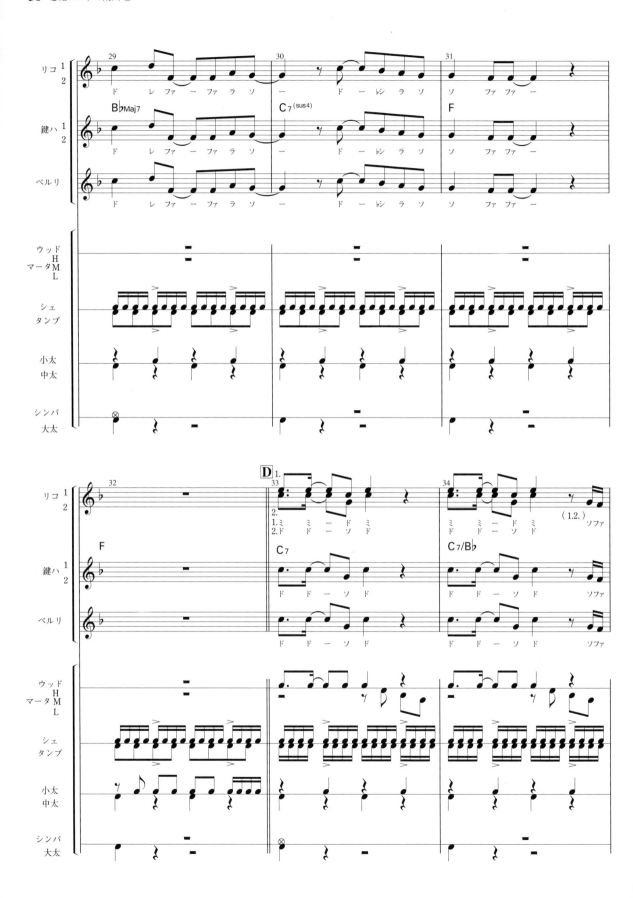

44

ZOO 【歌：ECHOES】

辻 仁成：作曲　中村 晴子：編曲

演奏順：A→B→C→D→B→C→E→F

ウィーアー！　【歌：きただに ひろし】

田中 公平：作曲　中村 晴子：編曲

演奏順： A → B → C → D → E → F → D → E → F → D.S. → F → to ⊕ → ⊕ Coda

らいおんハート　【歌：SMAP】

小森田 実：作曲　中村 晴子：編曲

演奏順：A→B→C→D→E→B→C→D→D.S.→D→to ⊕→⊕ Coda→F

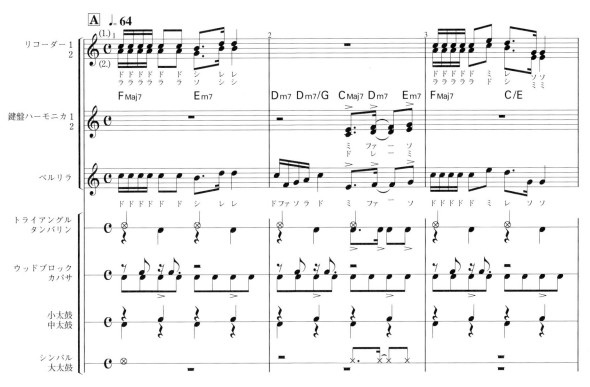

夏祭り 【歌：Whiteberry】

破矢 ジンタ：作曲　中村 晴子：編曲

演奏順：A→B→C→D→C→D→E→*D.S.*→D→to 𝄌→𝄌 Coda F

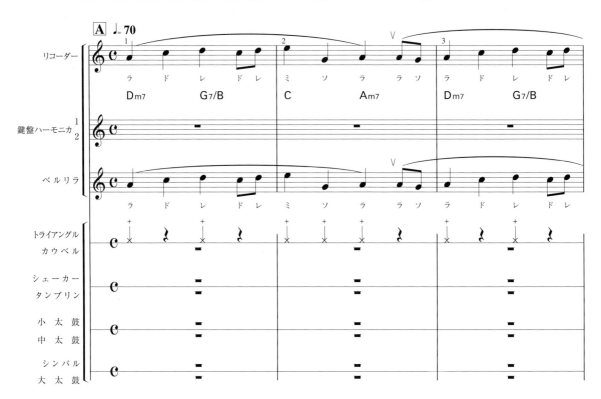

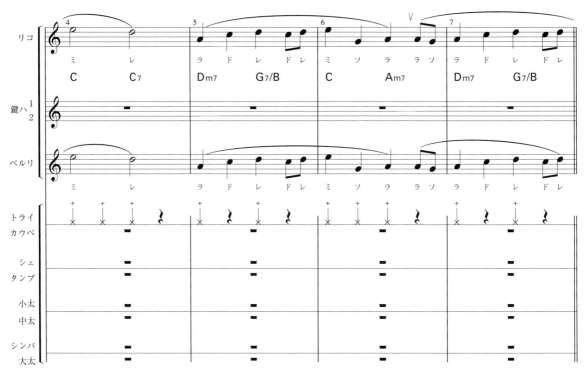

Beautiful days 【歌：嵐】

Takuya Harada：作曲　中村 晴子：編曲

演奏順：A→B→C→D→E→F→G→H→D→E→F→G→I→J→K→D.S.→G→to ⊕
→⊕Coda→M→N

Butterfly　歌：木村 カエラ　作詞：木村 カエラ

Butterfly 今日は今までの　どんな時より　素晴らしい
赤い糸でむすばれてく　光の輪のなかへ
Butterfly 今日は今までの　どんな君より　美しい
白い羽ではばたいてく　幸せと共に

思い出してるよ　君と出会ったころ
何度もくり返した季節は
二人を変えてきたね

君は今誓い　愛する人の側で
幸せだよと　微笑んでる
確かなその思いで　鐘が響くよ

太陽は沈み　いたずらに星は昇る
夜は眠り　朝を待つ

Butterfly 今日は今までの　どんな時より　素晴らしい
赤い糸でむすばれてく　光の輪のなかへ
優しさにあふれた　君がとても大好き
悲しみあれば　共に泣いて　喜びがあるなら　共に笑うよ

たったひとつだけ　暖かい愛に包まれ
夢の全ては　いつまでも　つづくよ

Butterfly 今日は今までの　どんな君より　美しい
白い羽ではばたいてく　幸せと共に
Butterfly 今日は今までの　どんな時より　素晴らしい
赤い糸でむすばれてく　光の輪のなかへ

運命の花を見つけた　チョウは青い空を舞う

世界に一つだけの花（single version）　歌：SMAP　作詞：槇原 敬之

NO.1 にならなくてもいい
もともと特別なOnly one

花屋の店先に並んだ
いろんな花を見ていた
ひとそれぞれ好みはあるけど
どれもみんなきれいだね
この中で誰が一番だなんて
争う事もしないで
バケツの中誇らしげに
しゃんと胸を張っている

それなのに僕ら人間は
どうしてこうも比べたがる？
一人一人違うのにその中で
一番になりたがる？

そうさ　僕らは
世界に一つだけの花
一人一人違う種を持つ
その花を咲かせることだけに
一生懸命になればいい

困ったように笑いながら
ずっと迷ってる人がいる
頑張って咲いた花はどれも
きれいだから仕方ないね
やっと店から出てきた
その人が抱えていた
色とりどりの花束と
うれしそうな横顔

名前も知らなかったけれど
あの日僕に笑顔をくれた
誰も気づかないような場所で
咲いてた花のように

そうさ　僕らも
世界に一つだけの花
一人一人違う種を持つ
その花を咲かせることだけに
一生懸命になればいい

小さい花や大きな花
一つとして同じものはないから
NO.1 にならなくてもいい
もともと特別なOnly one

涙そうそう　歌：夏川 りみ　作詞：森山 良子

古いアルバムめくり　ありがとってつぶやいた
いつもいつも胸の中　励ましてくれる人よ
晴れ渡る日も　雨の日も　浮かぶあの笑顔
想い出遠くあせても
おもかげ探して　よみがえる日は　涙そうそう

一番星に祈る　それが私のくせになり
夕暮れに見上げる空　心いっぱいあなた探す
悲しみにも　喜びにも　おもうあの笑顔
あなたの場所から私が
見えたら　きっといつか　会えると信じ　生きてゆく

晴れ渡る日も　雨の日も　浮かぶあの笑顔
想い出遠くあせても
さみしくて　恋しくて　君への想い　涙そうそう
会いたくて　会いたくて　君への想い　涙そうそう

感謝カンゲキ雨嵐　歌：嵐　作詞：戸沢 暢美

＊【ラップ】
Smile Again I'm Smiling Again
Smile Again I'm Smiling Again
So So イイことなんてない
ホウコウ方向オンチのジョウネツ情熱Live
マイニチ毎日 a Fool　ボケツ墓穴ホ掘るFall
だけどナニ何かにあこがれてたい
カンドウ感動しないヒビ日々のナカ中で
フ不タシ確かなキボウ希望がBelieve In Love
いつかクツゾコ靴底でフ踏みつけたFaith が
キミ君にデア出会って　チ血をモ燃やす

砕け散った気分なら　ためらわずに
怒りをヤワな自分自身に向ける　Wow wow
まるで　ひとりぼっちだと　嘆くそばで
ガレキに咲いた花が　ユラユラ見てる
誰かが　誰かを　支えて生きているんだ
単純な　真実が　傷をいやしてく

☆Smile Againありがとう
　Smile Again泣きながら
　生まれてきた僕たちは
　たぶんピンチに強い

Smile Again 君がいて
Smile Again うれしいよ
言わないけど　はじめての
深い　いとおしさは嵐

つらい時は甘えてと　強く思う
大事な人の愛が　ハートの包帯 Wow wow
ウマクなんて生きれない　それは誇り
助けてくれた君は　同じ眼をしてる
余裕をなくして　知らずに傷つけたかい
許して　許されると　人は素直だね
Smile Againありがとう
Smile Again何度でも
立ち上がれる気がしてる
僕の勇気は泉
Smile Againひとりでは
Smile Againいられない
とまどうほど切実な
祈るような　恋は嵐

＊ Repeat
☆ Repeat

ZOO　歌：ECHOES　作詞：辻 仁成

僕達はこの町じゃ　夜更かしの好きなフクロウ
本当の気持ち隠している　そうカメレオン
朝寝坊のニワトリ　徹夜明けの赤目のウサギ
誰とでもうまくやれるコウモリばかりさ

見てごらん　よく似ているだろう　誰かさんと
ほらごらん　吠えてばかりいる　素直な君を

Stop, Stop, Stop, stayin'

白鳥になりたいペンギン　なりたくはないナマケモノ
失恋しても　片足で踏ん張るフラミンゴ
遠慮しすぎのメガネザル　ヘビににらまれたアマガエル
ライオンやヒョウに　頭下げてばかりいるハイエナ

見てごらん　よく似ているだろう　誰かさんと
ほらごらん　吠えてばかりいる　素直な君を

ほらね　そっくりなサルが僕を指さしてる
きっと　どこか隅の方で僕も生きてるんだ
愛を下さい　oh…愛を下さい　ZOO
愛を下さい　oh…愛を下さい　ZOO, ZOO

おしゃべりな九官鳥　挨拶しても返事はない
気が向いた時に　寂しいなんてつぶやいたりもする
"しゃべりすぎた翌朝　落ち込むことのほうが多い"
あいつの気持ち　わかりすぎるくらいよくわかる

見てごらん　よく似ているだろう　誰かさんと
ほらごらん　吠えてばかりいる　素直な君を

ほらね　そっくりなサルが僕を指さしてる
きっと　どこか似ているんだ僕と君のように
愛を下さい　oh…愛を下さい　ZOO
愛を下さい　oh…愛を下さい　ZOO, ZOO

Stop, Stop, Stop, stayin'
Stop, Stop, Stop, stayin'
Stop, Stop, Stop, stayin'

Walkin' on the wild side in the ZOO
Walkin' on the right side in the ZOO

ウィーアー　歌：きただに ひろし　作詞：藤森 聖子

ありたっけの夢をかき集め
捜し物を探しに行くのさ　ONE PIECE

羅針盤なんて　渋滞のもと
熱にうかされ　舵をとるのさ

ホコリかぶってた　宝の地図も
確かめたのなら　伝説じゃない！

個人的な嵐は　誰かの
バイオリズム乗っかって
思い過ごせばいい！

＊ありったけの夢をかき集め
　捜し物を探しに行くのさ
　ポケットのコイン、それと
　You wanna be my Friend?
　We are, We are on the cruise!　ウィーアー！

ぜんぶまに受けて　信じちゃっても
肩を押されて　1歩リードさ

今度会えたなら　話すつもりさ
それからのことと　これからのこと

つまりいつも　ピンチは誰かに
アピール出来る　いいチャンス
自意識過剰に！

しみったれた夜をぶっとばせ！
宝箱に　キョウミはないけど
ポケットにロマン、それと
You wanna be my Friend?
We are, We are on the cruise!　ウィーアー！

＊Repeat
　ウィーアー！　ウィーアー！

らいおんハート　歌：SMAP　作詞：野島 伸司

君はいつも僕の薬箱さ
どんな風に僕を癒してくれる

笑うそばから　ほら　その笑顔
泣いたら　やっぱりね　涙するんだね

ありたりな恋　どうかしてるかな

君を守るため　そのために生まれてきたんだ
あきれるほどに　そうさ そばにいてあげる
眠った横顔　震えるこの胸　Lion Heart

いつか　もし子供が生まれたら
世界で二番目にスキだと話そう

君もやがてきっと巡り会う
君のママに出会った　僕のようにね

見せかけの恋に　嘘かされた過去

失ったものは　みんなみんな埋めてあげる
この僕に愛を教えてくれためくもり
変わらない朝は　小さなその胸　Angel Heart

見せかけの恋に　嘘かされた過去

失ったものは　みんなみんな埋めてあげる
この僕に愛を教えてくれためくもり
君を守るため　そのために生まれてきたんだ
あきれるほどに　そうさ そばにいてあげる
眠った横顔　震えるこの胸　Lion Heart

夏祭り　歌：Whiteberry　作詞：破矢 ジンタ

＊君がいた夏は　遠い夢の中
　空に消えてった　打ち上げ花火

君の髪の香りはじけた
浴衣姿がまぶしすぎて
お祭りの夜は胸が騒いだよ
はぐれそうな人ごみの中
「はなれないで」だしかけた手を
ポケットに入れて握りしめていた

＊Repeat

子供みたい金魚すくいに
夢中になって袖がぬれてる
無邪気な横顔がとても可愛いくて
君は好きな綿菓子買って
ご機嫌だけど　少し向こうに
友だち見つけて　離れて歩いた

＊Repeat

神社の中　石段に座り
ボヤーッとした闇の中で
ざわめきが少し遠く聞こえた
線香花火マッチをつけて
いろんな事話したけれど
好きだって事が言えなかった

＊Repeat

＊Repeat

空に消えてった　打ち上げ花火

Beautiful days　歌：嵐　作詞：Takuya Harada

空に輝くよキラリ　星がじわり　にじんでくよ
悲しいほどキレイだね

話を聞いてほしいこと　あれもこれもあるけれど
握りしめて　抱きしめて　しわくちゃのまま

星に願うといつか　叶うというけれど
夢の中でしか僕ら　永遠（とわ）にもう会えない

＊空に輝くよキラリ　星がじわり　にじんでくよ
　帰り道ナミダが止まらない　僕はずっと
　空に想い出がぽろり　涙ほろり　こぼれてくよ
　悲しいほどキレイだね

悲しみを分けあって　涙の数へらすより
喜びを　分かちあえないほうがつらいね

まぶたの奥に映る　こぼれる笑顔が
いまでも勇気くれるよ　もう一度会いたい

空に向かって歌うよ　そう歌うよ　声のかぎり
不思議だね一人じゃないんだ　僕はずっと
空に向かい手を振るよ　この手振るよ　力こめて
それが僕らのサイン

楽しくても苦しくても
もう僕らは会えない　どんなに願ってても

＊Repeat

空に向かって歌うよ　そう歌うよ　声のかぎり
不思議だね一人じゃないんだ　僕はずっと
いつまでも忘れないよ　忘れないよ　君といつか
空に描いた未来

模範演奏＆練習用カラオケCD付だから子どもたちの自主的な学習に最適
ドレミ音名付だから読譜の苦手な生徒もすぐに演奏できる

ドレミ音名付
小学校の器楽合奏　ゆかいにクラシック　全5巻
各巻 定価〔本体3,500円＋税〕　　《模範演奏・練習用カラオケCD付》

1 人形の夢と目覚め (オースティン)，アイネ・クライネ・ナハトムジーク 第1楽章 (モーツァルト)，ガボット (ゴセック)，クラリネット・ポルカ (ポーランド民謡)，ノンストップ・クラシック・メドレー［ピアノ協奏曲 第1番→四季 春→ウィリアム・テル序曲→皇帝→ハンガリア舞曲第5番→ピアノ協奏曲イ短調→田園→運命→ハレルヤ→第9番 喜びの歌］

2 アイ・ライク・エリーゼ (ベートーヴェン)，別れの曲 (ショパン)，ユーモレスク (ドボルザーク)，マイ・ナタリー（黒い瞳の）(ロシア民謡)，トッカータとフーガ 二短調 (J.S.バッハ)，ワルツ・メドレー［ノクターン→アルハンブラの思い出→ピアノ・ソナタK.331→舞踏への勧誘→美しき青きドナウ］

3 きらきら星による変奏曲 (モーツァルト)，カルメン・アラカルト (ビゼー)［カスタネットの歌→ハバネラ→闘牛士の歌］，天国と地獄 (オッフェンバック)，子守歌メドレー［モーツァルト→ブラームス→シューベルト］，春のおとずれ［アイネ・クライネ・ナハトムジーク第4楽章より］(モーツァルト)，ノンストップ・ワールド・ソング［峠のわが家→タフワフワイ→アロハオエ→白鳥の湖→アビニョンの橋の上で→アニーローリー→ローレライ→オー・ソレ・ミオ→フラメンコ→サンバ→ロンドン橋］

4 新世界より (ドボルザーク)，楽しき農夫 (シューマン)，G線上のアリア (J.S.バッハ)，恋とはどんなものかしら［歌劇「フィガロの結婚」より］(モーツァルト)，愛の夢 (リスト)，ノンストップ・クラシック・メドレーPart II［歌劇『椿姫』より 乾杯の歌→ピチカート・ポルカ→トリッチ・トラッチ・ポルカ→『くるみ割り人形』より 行進曲］

5 調子のよいかじ屋 (ヘンデル)，クシコス・ポスト (ネッケ)，春の歌 (メンデルスゾーン)，凱旋行進曲［歌劇「アイーダ」より］(ヴェルディ)，ダッタン人の踊り (ボロディン)，くるみ割り人形メドレー［序曲→こんぺい糖の踊り→ロシアの踊り→花のワルツ］

ドレミ音名付　小学校の器楽合奏
ポップなリズムで　たのしいクラシック　全5巻
各巻 定価〔本体3,500円＋税〕　　《模範演奏・練習用カラオケCD付》

1 サンバ風 ピアノ・ソナタ第8番「悲槍」第2楽章，ポップス風 涙のカノン，ポップス風 幻想即興曲，スロー・バラード風 タイスの瞑想曲，ポップス風 ピアノ協奏曲 第1番 第1楽章，レゲエ風 草競馬，ロックンロール風 赤い河の谷間

2 8ビート風 メヌエット ト長調 (バッハ)，ポップス風 交響曲 第9番『新世界より』第2楽章より，スロー・ワルツ風 歌のつばさに，ポップス風 喜びの歌，ジャズ風『四季』より「春」，レゲエ風 オールド・ブラック・ジョー，ロックンロール風 オー・ソレ・ミオ

3 ポップス風 交響曲 第9番『新世界より』第4楽章，ポップス風 弦楽四重奏曲 セレナード，ロックンロール風 歌劇『カルメン』より「ハバネラ」，ワルツ風 波涛を越えて，ディスコ風『白鳥の湖』より「白鳥の踊り」，ロックンロール風 追憶，レゲエ風 マイ・オールド・ケンタッキー・ホーム

4 スロー・8ビート風 あなたを愛す，ロックンロール風 アマリリス，スロー・バラード風 ピアノ協奏曲 第2楽章「みじかくも美しく燃えて」，ワルツ風 交響曲 第3番 第3楽章 (ブラームス)，スウィング・ジャズ風 ます，レゲエ風 スワニー河，ロックンロール風 草原情歌

5 ポップス風 ホルン協奏曲 第1番 第1楽章，スロー・8ビート風 トロイメライ，ワルツ風 メヌエット ト長調 (ベートーヴェン)，ポップス風 ブーレ (J.S.バッハ)，2ビート風 野ばら，スロー・8ビート風 カロ ミオ ベン，レゲエ風 アビニョンの橋のうえで～フレール・ジャック

ドレミ音名付
小学校の器楽合奏　ゆかいにアニメランド　全5巻
各巻 定価〔本体3,500円+税〕　《模範演奏・練習用カラオケCD付》

1 となりのトトロ, 摩訶不思議アドベンチャー, おどるポンポコリン, アンパンマンのマーチ, オバケのQ太郎, サザエさん～サザエさん一家, ディズニー・メドレー［ハイ・ホー→小さな世界→ビビディ・バビディ・ブー］

2 ゆめいっぱい, 君をのせて, ドラえもんのうた, 魔法使いサリー, ゲゲゲの鬼太郎, さんぽ, ディズニー・メドレー［ミッキーマウス・マーチ→いつか夢で→星に願いを］

3 ドラゴンクエスト序曲, 海の見える街, トトロ・メドレー［まいご→ねこバス］, 鉄腕アトム, ひょっこりひょうたん島, にっぽん昔ばなし～にんげんっていいな, ディズニー・メドレー［チム・チム・チェリー→ラ・ラ・ルー→狼なんかこわくない］

4 もののけ姫・エンディング・テーマ, ホール・ニュー・ワールド, 虹の彼方に, 愛を感じて, カントリー・ロード, 元気節, おもひでぽろぽろ・メドレー［メイン・テーマ→星のフラメンコ→おはなはん→マイム・マイム］

5 やさしさに包まれたなら, いつでも誰かが, いつか王子様が, フライ・ミー・トゥー・ザ・ムーン, 美女と野獣, さくらんぼの実る頃, エヴァンゲリオン・メドレー［残酷な天使のテーゼ→G線上のアリア→てんとう虫のサンバ→サナトス］

ドレミ音名付
小学校の器楽合奏　ゆかいにマーチング　全3巻
各巻 定価〔本体3,500円+税〕　《模範演奏・練習用カラオケCD付》

1 アメリカン・メドレー［黄色いリボン → テキサスの黄色いバラ → ジョニーが凱旋するとき → リパブリック讃歌］, オーレ! チャンプ, 旧友, 史上最大の作戦, スポーツ・ショー行進曲, 聖者の行進～漕げよマイケル, 双頭の鷲の旗の下に

2 錨を上げて, コバルトの空, コンバット・マーチ, 星条旗よ永遠なれ, フォスター・メドレー［草競馬 → スワニー河 → おお スザンナ → オールド・ブラック・ジョー］, ボギー大佐, ラテン・メドレー［さらば ジャマイカ → ラ・クカラチャ］

3 お江戸日本橋, 365歩のマーチ, 士官候補生, 世界の国からこんにちは～上を向いて歩こう, 美中の美, 雷神, ワシントン・ポスト

ドレミ音名付
小学校の器楽合奏　たのしい鑑賞曲　全3巻
各巻 定価〔本体3,500円+税〕　《模範演奏・練習用カラオケCD付》

1 アメリカン・パトロール／ミーチャム, おもちゃの兵隊／イエッセル, かじやのポルカ／ヨゼフ・シュトラウス, ノルウェー舞曲 第2番／グリーク, ファランドール（組曲・アルルの女 第2番より）／ビゼー, ます(ピアノ五重奏曲 第4楽章より)／シューベルト, メヌエット／ベートーヴェン

2 おどる子ねこ／アンダーソン, 荒城の月／滝 廉太郎, 出発（組曲・冬のかがり火より）／プロコフィエフ, トルコ行進曲／ベートーヴェン, 箱根八里／滝 廉太郎, 花／滝 廉太郎, 春の海／滝 廉太郎, 春のよろこび（ホルン協奏曲 第1番 第1楽章より）／モーツァルト

3 ギャロップ（組曲・道化師より）／カバレフスキー, 歌劇「軽騎兵」序曲／スッペ, 白鳥／サン・サーンス, ぼんおどり（木挽歌より）／小山 清茂, ポロネーズ／J.S.バッハ, 待ちぼうけ／山田 耕筰, この道／山田 耕筰, 赤とんぼ／山田 耕筰

全曲ドレミ付のやさしいアレンジ

小学校の器楽合奏 フェスティバル 全5巻

フェスティバル ① 定価[本体2,000円+税]

- ひだまりの詩　ル・クプル
- 少年時代　井上陽水
- 君を忘れない　松山千春
- らいおんハート　SMAP
- 勇気100%　光GENJI
- よろこびの涙 〜歓喜の歌〜（大編成）作曲:ベートーヴェン

フェスティバル ② 定価[本体2,000円+税]

- Believe　作曲:杉本竜一
- TOMORROW　作曲:杉本竜一
- YAH YAH YAH　CHAGE & ASKA
- ルパン3世のテーマ　作曲:Yuji Ohno
- ミッキーマウス・マーチ（大編成）
- ラ・ラ・ルー 〜わんわん物語より〜（大編成）
- 歌劇「軽騎兵」序曲（大編成）作曲:スッペ

フェスティバル ③ 定価[本体2,000円+税]

- 語りかけよう　作曲:鈴木邦彦
- 歌よ ありがとう　作曲:橋本祥路
- すてきな友達　作曲:鈴木邦彦
- 島唄　THE BOOM
- 小さな世界（大編成）
- これが恋かしら（大編成）
- ギャロップ（組曲「道化師」より）（大編成）作曲:カバレフスキー

フェスティバル ④ 定価[本体2,000円+税]

- さとうきび畑　森山良子
- きょうりゅうとチャチャチャ　作曲:加賀清孝
- ゴー・ゴー・ゴー（運動会の歌）　作曲:橋本祥路
- てをつなごう　ハムちゃんず
- くまのプーさん（大編成）
- 飛べる!飛べる!飛べる!（大編成）
- 白鳥　作曲:サン・サーンス

フェスティバル ⑤ 定価[本体2,000円+税]

- はじめの一歩　作曲:中川ひろたか
- グリーンスリーブス　イギリス民謡
- クリーゲルのメヌエット　作曲:クリーゲル
- 瑠璃色の地球　松田聖子
- ジッパ・ディー・ドゥー・ダ〜南部の歌より〜（大編成）
- 四月の雨〜バンビより〜（大編成）
- ポロネーズ（管楽器組曲 第2番 より）　作曲:J. S. バッハ

みんなが知っているアニメ・ソングを鼓笛合奏で楽しく演奏しよう
ドレミ音名付だから読譜の苦手な生徒もすぐに演奏できる

ドレミ音名付
鼓笛バンド みんな大好き アニメ・ベスト　全2巻

各巻 定価〔本体2,500円＋税〕

1
崖の上のポニョ「崖の上のポニョ」より
いつも何度でも「千と千尋の神隠し」より
となりのトトロ「となりのトトロ」より
まいご「となりのトトロ」より
やさしさに包まれたなら「魔女の宅急便」より
仕事はじめ「魔女の宅急便」より
君をのせて「天空の城ラピュタ」より
アシタカとサン「もののけ姫」より
風になる「猫の恩返し」より
アンパンマンのマーチ「それいけ！アンパンマン」より
サザエさん「サザエさん」より
めざせポケモンマスター「ポケットモンスター」より

2
ウィーアー！「ONE PIECE」より
鉄腕アトム「鉄腕アトム」より
ゲゲゲの鬼太郎「ゲゲゲの鬼太郎」より
ねこバス「となりのトトロ」より
さんぽ「となりのトトロ」より
風の谷のナウシカ「風の谷のナウシカ」より
ルージュの伝言「魔女の宅急便」より
ハル、起きてるぅ？「猫の恩返し」より
勇気りんりん「それいけ！アンパンマン」より
ムーンライト伝説「美少女戦士セーラームーン」より
サザエさん一家「サザエさん」より
ドラえもんのうた「ドラえもん」より

ドレミ音名付
ゆかいな鼓笛合奏曲集　全5巻

各巻 定価〔本体3,500円＋税〕　《模範演奏・練習用カラオケCD付》

- 屋外、屋内を問わず演奏できる小編成の合奏曲集
- アニメ、ポップス、マーチ、世界の民謡、クラシック、季節の行事の曲など、魅力ある曲、挑戦したい曲を幅広いジャンルから選曲し、楽しいリズムにのせてアレンジしました
- 付属のCDの練習用カラオケで、子どもたちの自主的な取り組みができます

1 オブラディ・オブラダ，この木なんの，ミッキーマウス・マーチ，ラ・ラ・ルー，となりのトトロ，大きな栗の木の下で，草競馬，赤い河の谷間，花祭り，Y.M.C.A.，これが私の生きる道，聖者の行進，アマリリス，もみの木，ほたるの光

2 シング，小さな世界，チム・チム・チェリー，君をのせて，森のくまさん，アヴィニョンの橋の上で，さらばジャマイカ，てんとう虫のサンバ，プライド，アロハ・オエ，茶色の小瓶，ジングル・ベル，仰げばとおとし

3 雨にぬれても，エーデルワイス，ハイ・ホー，さんぽ，鉄腕アトム，リパブリック賛歌，おおブレネリ，エル・クンバンチェロ，いとしのエリー，花，きらきら星，きよしこの夜，贈る言葉

4 トップ・オブ・ザ・ワールド，ドレミの歌，星に願いを，WAになっておどろう，もののけ姫，錨を上げて，オーラ・リー，シェリト・リンド，アメイジング・グレイス，いい日旅立ち

5 ジャンバラヤ，グリーン・グリーン，ピカピカまっさいちゅう，アンパンマンのマーチ，フニクリ・フニクラ，かわいいあの娘，アルプス一万尺，スカボロ・フェア，ボレロ，士官候補生，おどるポンポコリン，POWER，旅立ちの時

みんなが知っているジブリのヒット曲を、鼓笛＆器楽アンサンブルで！

ドレミ音名付 鼓笛＆器楽アンサンブル 全3巻

各巻 定価〔本体1,800円＋税〕

1 いつも何度でも 〈鼓笛＆器楽アレンジ〉「千と千尋の神隠し」より
まいご 〈鼓笛＆器楽アレンジ〉「となりのトトロ」より
やさしさに包まれたなら 〈鼓笛＆器楽アレンジ〉「魔女の宅急便」より
風の谷のナウシカ 〈鼓笛＆器楽アレンジ〉「風の谷のナウシカ」より

2 となりのトトロ 〈鼓笛＆器楽アレンジ〉「となりのトトロ」より
もののけ姫 〈鼓笛＆器楽アレンジ〉「もののけ姫」より
ねこバス 〈鼓笛＆器楽アレンジ〉「となりのトトロ」より
仕事はじめ 〈鼓笛＆器楽アレンジ〉「魔女の宅急便」より

3 君をのせて 〈鼓笛＆器楽アレンジ〉「天空の城ラピュタ」より
さんぽ 〈鼓笛＆器楽アレンジ〉「となりのトトロ」より
ルージュの伝言 〈鼓笛＆器楽アレンジ〉「魔女の宅急便」より
アシタカとサン 〈鼓笛＆器楽アレンジ〉「もののけ姫」より

エー・ティー・エヌでは、クラシックからポップスの名曲まで、1,250曲を越えるラインナップをそろえています。
ホームページで、曲目検索ができますので、ぜひご覧ください。
http://www.atn-inc.jp

ATN, inc.

ドレミ音名付 鼓笛バンド
Jポップ・スカイ

4534

JASRACの
承認により
許諾証紙
貼付免除

日本音楽著作権協会 （出）許諾第 1003743 - 001 号
（許諾番号の対象は、当該出版物中、当協会が
許諾することのできる著作物に限られます。）

発 行 日 2010年 4月10日（初版）
監 修 ミュージック・ステーション
カバー・イラスト 塚田 幸夫
発行・発売 株式会社 エー・ティー・エヌ
©2010 by ATN,inc.
住 所 〒161-0033
東京都新宿区下落合 3-12-21 目白エミネンス102
TEL 03-6908-3692 / FAX 03-6908-3694
ホーム・ページ http://www.atn-inc.jp

ISBN978-4-7549-4534-3